Gallimard Jeunesse / Giboulées sous la direction de Colline Faure-Poirée

© Éditions Gallimard Jeunesse, 1998
ISBN : 978-2-07-051924-8
Premier dépôt légal : septembre 1998
Dépôt légal : septembre 2007
Numéro d'édition : 152836
Loi n°49956 du 16 juillet 1949
sur les publications destinées à la jeunesse
Imprimé et relié en France par Qualibris/Kapp

César le Lézard

Antoon Krings

GALLIMARD JEUNESSE / GiBOULÉES

Dans le bas du jardin, dissimulée entre les pierres du vieux muret, se trouvait une porte. Une toute petite porte devant laquelle le visiteur devait faire preuve d'une infinie patience, s'annoncer au moins dix fois de suite pour qu'enfin elle s'entrouvrît sur une petite tête effarouchée qui disait :
« Tu m'as fait peur. Tu sais comment c'est dans le jardin. Il faut être prudent. »
Et le visiteur de répondre quelque chose comme : « Mais enfin, César… Qui veux-tu que ce soit ? » en pensant :
« Vraiment, quel froussard ce lézard ! »

Bien que le comportement étrange de César n'étonnât plus guère son voisinage, il surprenait toujours les autres par sa drôlerie. Pour assister au spectacle de ses gesticulations, il suffisait de le réveiller au milieu de sa sieste. Il sursautait alors si vivement et décampait avec tant d'ardeur qu'avant même de lui dire « Oh! pardon », sa porte était déjà verrouillée à triple tour.

Or, à propos de porte verrouillée, il lui arriva un jour une histoire sans queue ni tête. Et d'ailleurs, sans queue plutôt que sans tête… Ce jour-là, donc, il y avait une fête dans le jardin. Inquiet, César se tenait à l'écart, prêt à s'enfuir au moindre bruit.

Mais, encouragé par ses amis, il s'approcha peu à peu de la table. Si Léon le bourdon mangeait déjà avec appétit, Pat le mille-pattes se demandait encore avec quel pied il devait se servir. Et pendant qu'Ursule la libellule cherchait en vain sa place…

… César qui venait de s'y asseoir essayait tant bien que mal de se mêler à la joyeuse conversation. Mais ses paupières se faisaient lourdes et le soleil, délicieusement chaud, ne l'engageait pas à les relever. Le pauvre hochait la tête de temps en temps pour dire : « Non, je ne dors pas, je vous écoute avec attention. »

C'est alors que dans un fracas de verre brisé, une maladroite sauterelle atterrit sur la table. Saisi d'une affreuse panique, César se redressa brusquement et, devant ses amis consternés qui le suppliaient de garder son sang-froid, il disparut ventre à terre vers sa maison.

Seulement, dans sa grande précipitation, il se trompa, et la porte qu'il claqua derrière lui n'était pas la sienne… Haletant, la langue pendante, il comprit enfin sa méprise et recula d'effroi.

Soudain, une forme abominable bougea dans les ténèbres du sinistre endroit. Tandis que ses membres tremblaient à se rompre, une voix caverneuse se fit entendre : « Approche, courageux visiteur ! » Et là, au lieu de s'enfuir, César, raidi par l'épouvante, tomba à la renverse, inanimé.

« Eh bien! courageux visiteur! » s'exclama Dolly la chauve-souris en examinant le pauvre lézard avec anxiété. « Tu sais, il ne faut pas les écouter, s'empressa-t-elle d'ajouter. Même si tout le monde dans le jardin m'appelle le vampire, je ne suis pas bien terrifiante. » Malheureusement, l'écho qui résonnait dans l'antre obscur de Dolly reprenait avec insistance : « Vampire, vampire… terrifiante, terrifiante… »

Ce furent du moins les seuls mots que César entendit. Il rassembla donc le peu de forces qui lui restait et, d'un bond, se précipita vers la porte. « Ne t'en va pas, reviens… » implora Dolly en le retenant.

Mais le lézard se débattit avec tant de vigueur que le bout de sa queue se brisa. Alors, sans demander son reste, et profitant du désarroi de la chauve-souris, il lui faussa compagnie.

Puis il courut rejoindre ses amis en répétant sans cesse : « Comme ils vont me trouver courageux, comme ils vont me trouver courageux… »